가로등

가로등

발　행 | 2023년 11월 28일
저　자 | 서동인
펴낸이 | 한건희
펴낸곳 | 주식회사 부크크
출판사등록 | 2014.07.15.(제2014-16호)
주　소 | 서울특별시 금천구 가산디지털1로 119 SK트윈타워 A동 305호
전　화 | 1670-8316
이메일 | info@bookk.co.kr
표지디자인 | 디자인플랫폼 미리캔버스 (개인디자인)

ISBN | 979-11-410-5544-8

www.bookk.co.kr

가로등

서동인 지음

목차

머리말

이 세상 모든 당연시 되는 것과
관심받지 못하는 것들에게
이 책을 바칩니다.

당연시되는 것들, 관심받지 못하는 것들, 외로워하는 것들
이러한 것들로 시를 썼고
거기서 외로움, 사랑, 위로 등을 배웠습니다.

이 시집을 읽는 분들은 행복하길 빌어봅니다.

-서동인 드림

밤공기

터질 것 같은 달 아래
무기력한 내 몸 하나

보잘것없는 방 안에
남아있는 따스한 향취

무얼 바라 끝없는 이 밤에
나는 홀로 고뇌하는가

무얼 바라 그대 없는 이 방에
나는 홀로 외로워하는가

무기력한 내 몸 하나
터질 것 같은 달 아래에

단시

뜨거운 낮은 가고
차가워진 밤이 오는가

다정했던 님은 가고
구슬픈 이별이 오는가

아침은 다시 오는데
님은 왜 오지 않는가

첫사랑의 열매

사랑이 열리는 나무가
너라는 땅에서
비를 맞는다

사랑에 빠지는 열매를 맺으며
열매 먹는 새들도 사랑에 빠지며

사랑해져 간다,
사랑이란 단어가 무색하게도 쉬운 것인지

매번 다른 맛인 사랑이어서
늘 새로워하는 것이

이런 것이 첫사랑인지

자리

거리의 사람들도
하늘에 새들도

하물며 작은 먼지조차도
가는 곳이 있는 것을

존재하는 곳이 있는데
나 같은 것은 어디로 가야 하나

영원할 것 같던 그것들이

아침엔 창틈으로 넘어오는
원망스러운 햇빛으로 눈을 뜨고

밤엔 밝지만 차가운
약속한 달빛에 감싸여 잠에 드는

꽃 나리는 봄과
매미 우는 여름과
낙엽과 이별하는 가을과
눈과 만나는 겨울이

슬퍼 죽겠어서 울던 그 밤과
기뻐 죽겠어서 울던 그 밤이

그리워진다는 것이
너무 그리워서,

동백

추운 날에 꽃 피는 동백처럼
세상은 하얀데 혼자 빨간 동백처럼
자신이 틀린 것이 아닌 걸 아는 동백처럼

다른 것들이 봄에 피어도
겨울에 피는 동백처럼
늦은 것이 아닌 자신이 빠르단 걸 아는 동백처럼

남들과는 달라도 괜찮다는 걸 아는
동백처럼,

조물의 장난

내가 힘든 계절엔 네가 없고
네가 힘든 계절엔 내가 없구나
둘 다 힘든 계절엔 여유가 없고
둘 다 기쁜 계절은 없구나

여름은 너와의 만남을 떠올려
괴롭게 하고
가을은 너와의 이별을 떠올려
괴롭게 하고
겨울은 너로 하여금 그립게 만들어
괴롭게 하는구나

봄은 꽃잎이 떨어지는 것을 보기만 하는
너와 나를 보는 신이 봄을 만든 거구나

보고싶어라

오랜만에 본 탓일까
갑자기 나타나서일까
눈앞에 보이는 형체가
내가 사랑했던 사람이어서일까

오랜만이라며, 잘 지냈냐며,
안부를 묻는 것이 애가 타서
혼미해진 정신을 부여잡는다

타버린 생각 회로와
굳어버린 입술 사이로
보고 싶었다고, 사랑한다고,
그동안의 세월을 무색하게 만드는
부끄럽지 않은 말

여름

태풍 후에 하늘은 적막하다
태풍이 온 적이 없단 듯이

식었던 아스팔트도
젖었던 새들도
쓰러질 듯 흔들리던 나무도
부서질 듯 덜덜거리던 창문도

언제 태풍이 왔다는 듯이
다시 뜨거워지고
흔들리던 나무가 더 굳세고
창문에선 새소리가 난다

어쩌면 다시 올 시련에
다시 올 이별에
아프게 할 그리움조차도
지나갈 것을,

편지 안에 삽화

어린 날의 너를 만나
설레고 사랑하고
좋아하고 아끼던
그때에 어린 날의 나

서로 상처 주며
헤어지던 우리도
어쩌면 우연인 우리가

우연히 다시 찾은 편지 안의 삽화처럼
때로는 글보다
때로는 말보다
작은 그림으로도 이해해서
마음을 표현하기에 알맞아서
보고 있기만 해도 충분할 거야

무제

사랑은 너에게 있음에
나는 너에게 가고
나는 너를 보면서
사랑을 느낀다

너에게 있음을 감사하며
너에게
무조건 반사하는
내 마음

작별

달은 외로워한다
해가 지기도 전에 올라와
사람들이 해에게 작별할 때
달은 뒤에서 외로움에 잠긴다

사람들이 해에게 인사할 때
달은 사람들의 뒤통수에 인사한다
달은 외로워하지만
마주 보는 해에게 애써 인사한다
해는 속을 아는지 모르는지
밝은 빛을 내며 달에게 작별한다.

저를 모르는 사람에게

그대가 날 바라보는 것도
괴롭습니다
그대가 나를 알고 있는 것도
아픕니다

저는 그대를 바라보지 않을 수 없으니
저를 바라보지 말아 주세요
보기만해도 괴롭고
옆에 두니 아파지기까지 합니다.
그대가 날 모르기에
위안이 됩니다.

다른 사람의 꽃으로
화분에 있는 꽃처럼
벽에 한평생 걸려있는 명화처럼
벽화에 그려진 그림처럼
그렇게 한평생 사십시오

제가 보지 못하게
영원히

저녁에

황혼이 내려 앉은 저녁에
괜스레 부끄러워 삐쭉 내미는 저 달이
저 달이 비추는 초라한 빛이 아름다워서
못 이기는 척 한 번 더 봐주는 것이
가치가 있고 좋아서
희미한 달빛마저 고마워서

온몸에 쏟아지는 달빛이 되어
나에게 스며들어
밤이 되고 별이 되고
호수가 된다

바보

언덕 너머 있을 것만 같은
한 송이의 메밀꽃을 위해

언덕을 넘고
비틀대는 정신을 부여잡고
꽃만 찾아다니다

주저앉은 바닥에서 신발을 보니
밑창에 끼어있는 메밀꽃

계절의 냄새

싱그러운 나무 냄새가 날 반기고
바삭한 낙엽이 풍기는 소리에 취하고
코가 시리도록 숨을 크게 들이마시면

비로소 꽃내음 가득한 향기
코를 가득 채우면
낙엽이 그리워져
꽃을 보지 못한다
눈이 그리워져
앞이 보이지 않는다

해바라기

언덕 너머 산골짜기
아무개 집 앞에
해바라기 두 쌍

해바라기 두 쌍
나란히 해를 바라본다
해바라기 하나가
다른 해바라기를 시기하여

약속한 해님은 시기하는 해바라기에
햇살 한 줌 주지 않고
해바라기는 시들어
그들의 거름이 되었다.

사랑하는 사람에게

당신이 그리워서
하루 세끼 밥 먹는 거와 같이
계속 계속 반드시 보고 싶습니다.

사랑한단 말로도 부족하고
보고 싶다고만 말하는 것도
당신을 그리워하는 감정을
말로 담을 수 없습니다.

언제나 그렇듯 평생을
제 머리맡에서
저를 잠들게 해줬으면 좋겠습니다
어제처럼만, 오늘도, 내일도, 앞으로도

지각사유

한 사내가 5월 말
뜨겁게 내리쬐는
햇빛을 견디고

푸른 언덕을 지난다
순간 앞에 피어있는
분홍빛의 꽃이 있어

사내가 물었다
늦은 이유가 무엇이냐고,
왜 이제야 피었냐고,
꽃은 그런 사내의 물음에
그저 살랑거리기만 한다.

정원사

네가 하는 말은
내 마음에 사무쳐
내 안을 꽃으로 메운다

산에 있는 산새처럼
내 들판 안에 있는 작은 꽃처럼
너는 그렇게 살아간다

네가 하는 행동 하나하나가
내 머리 안 작은 새장 속에
작고 소중한 새가 되어 날아 들어온다

내 안에 있는 작은 정원에
나의 새와 꽃과 그리고
너와의 자작나무를 심으며

주간맹

밝아서 바라보지 못하는 해 대신
밝아도 바라볼 수 있는 달에게

낮엔 밝아 커튼을 치지만
밤엔 어두워 커튼을 치우네

창에 낀 먼지를 보는 것이 두려워
밤에만 창밖을 보네

내 시야는 낮보다는
밤에 더 밝아지네

이별의 전염성

산꼭대기
산 비둘기 종달새 나란히
먼저 우는 비둘기가
너무 구슬프네

산 비둘기 우는 소리가 구슬퍼
종달새 따라 우네
종달새 그칠 줄을 몰라서
산 비둘기 그만 날아가네

종달새 구슬피 울어
비둘기 날아가다
주위만 도네

가로등

사람 하나 없는 이 밤에
가로등은 길을 밝힌다

가로등은 고독을 느낀다
누구 하나 없는 이 밤에

어둠 속에서 자신의 빛 하나만을
의지하며 다시 올 아침을 기다린다

가로등은 두려움을 느낀다
빛 하나 없는 이 밤에

다시 올 일몰에
또 한 번 올 이별에

가로등은 불안해한다
밝은 이 낮에

창

어두워서 아무것도
보이지 않는 내 방에
나 홀로 널 그리워한다

문도 어딨는지 모르고
너도 어딨는지 모른다

그렇게 밤을 지새우면서
내 방 창으로 해가 빛을 보낸다
순간 방이 밝아진다
널 본다, 문을 본다,
너에게 창으로 들어오는 빛처럼

순간 나아간다
너는 나에게 새벽녘에
내방을 밝힌 빛 같다

그리워하는 일상들에

당신을 그리워함에도
당신을 그릴 수 없습니다

당신에게 어리광부리고
보고 싶다고 하고 싶습니다

지금은 몸이 멀어져 있는 것보다
마음이 더 멀어지는 중 같습니다

그럼에도 저는
기다리겠습니다

당신이 오늘도 제 머리맡에서
저를 잠들게 하면 좋겠습니다
그때처럼만, 오늘도, 내일도, 앞으로도

짝사랑

심장을 쐈다
피부를 뚫고 들어가는
조그마한 감정이

땀구멍도 채 되지 않는
작은 구멍으로
내 심장을 쐈다
심장은 커 가기만 하고

눈에는 날 쏜 저격수가 보인다
심장을 쐈다
심장을 쏴주길 바래왔다.

비

처음엔 나를
거슬리게 하고
귀찮게 하더니

그 후엔 나를
뒤덮고
젖게 하여
생각나게 하는구나

콩알만 하던 작은 비가
거센 군대의 창처럼 내린다

네가 나에게 주는
사랑도 비와 같은가

공전

아팠던 한 해가 또 저물고
갈 사람은 떠나고

또 새로운 만남을 하고
또 새로운 이별을 하고
미래가 정해진 만남만을 반복하다

또 혼자 좌절하고
혼자 기대하고
혼자 실망하네

내 정신이 내 마음이
내 사랑이 또 저물면
너는 그 자리에 있고
나만 빙빙 네 주위만,

고별

내 마음에 네가 없어
이별을 말한다

얼마나 아플지 상상도 되지 않고
얼마나 그리울지 상상도 하고 싶지 않다

후회하더라도
너와의 이별은
아름답기를

고마웠고 아팠고 슬펐고 즐거웠던
내 사랑에 상대에게

첫 눈

내 마음 어느 곳에도
당신을 담을 곳이 없어,
당신을 내보냅니다

한번 가면 돌아오지 않는
함께했던 지난날들과
같이 내보냅니다

어젯밤 내리고
오늘 아침 사라지는
3월의 눈 같은
10월 어느 날의 기록

계절의 기억

뜨거웠던 태양이 가고
차디차게 식은 달만이 나를 반긴다

여름은 더운 상태로 갔고
추운 가을이 내게 왔다

푸른 하늘을 보다 살았다가도
하늘이 안 보여도
밤에 있는 별을 보며 살아가야지

그렇지 하늘을 보려거든 고개를 들고
세상을 보려거든 앞을 봐야지

겨울에 추워져 힘들면
고개를 들어 지난여름을 보아야지

낙엽

다음 해에 만날 것을 아는 듯이
나무와의 이별을 미련 없이 보내는
낙엽처럼
저 낙엽처럼
한날 떨어지고 있는 저 낙엽처럼
저렇게 떨어지면서도
나무만 바라보는 낙엽처럼

보잘것없는 바람에 날리는 낙엽처럼
사소한 바람에도 떨어질 줄 아는 낙엽처럼
이별을 사랑하고 재회를 확신하는
낙엽처럼

하루에도 수십 번
잎사귀는 작별을
나무는 후회를
반복한다

5월 그리고 10월

너무 빨리 펴버린 탓일까
내가 보았던 탓일까

5월에 펴버린 장미가
하찮게도 그 골목에 냄새를 풍겨
빨리 핀 게 대수인가,

5월에 핀 장미가
시들지도 않고
10월에 마지막 여운을 풍기다

누가 꺾어버렸네

레코드반

내 낡은 책상 위에는
87년 일제 턴테이블이 있다

비가 오는 오늘은
정신없이 돌아가는
턴테이블이다

80년에 레코드반 위에
바늘을 올린다
레코드반이 튕긴다

87년제 바늘은 변함이 없다

야속한 레코드반
원망스럽다

고독

우연히 본 초승달에
발길을 멈추고 본다
내 갈 길을 비추는
저 밝은 달빛을 보며

한없이 작은 달빛을
애써, 잡으려 잡으려 하지 않았다

나의 발밑이 아니라
그 님의 밤길을 비춰주길

님을, 잊으려 잊으려 하려다가
고독은 깊어만 간다

그 고독에 터져 나오는
참을 수 없는 고통에
내 사랑에 부끄러운 그리움이 나왔다

작은것들

어두운 방 안에
눈치 없이 들어오는 빛이 거슬려서
시계의 초침 소리가 거슬려서

잠을 깨우며 들어오는 달빛을 보니
괜스레 원망하던 것들에게 미안해져
달빛으로 세수를 한다

원망하던 것들은
어두운 곳에서도 빛을 내는 것과
남들이 다 자는 시간에도
흔들리지 않는 초침 소리

그것들을 원망하던 내가 부끄러워
달빛으로 인사를 건네며 머쓱해 했다

가을

너를 보기만 해도 나는 좋으련만
낙엽이 지고 낭낭하며 떨어진다
떨어지는 잎사귀에도
눈길 한번 안 주며
널 바라봐야지

한 번이라도 더 담아 기억하고
내일 밤에도 널 볼 수 있게 해달라고
겨울에게 부탁하네

비 2

내 어깨에 스치는
이슬비가 내린다

그대, 내 당신에게도
어깨에 비가 스친다

이 비가, 그 비가
나나 너였으면 좋겠다.

희생

차갑게 식어버리고
말라 죽은 식물을 보며

차라리 나를 춥게 하고
나를 목마르게 하여

날 괴롭히고
그것을 행복하게 해줬으면 한다

그것은 나와 달리
그럴 가치가 있는 것이니까
나는 그렇게
희생할 가치가 있는 것이니까

아픈 젊음에게,

어린잎이 아직 떨어지지 못한 채,
푸른 꽃을 피워낸 것들에게

꽃인 척 해야 했던
정말 꽃이 되어 버렸던

묵묵히 그 자리 그대로
피어난 푸른 꽃에게

무엇이 그 꽃을 짓누르거든
피워내기 위해 노력한
지난 계절을 보여주라

철새

초라해진 지난날의 숲에
앙상해진 스무개의 팔을 가진 나무에
앉아 올라 있던 새가
오늘은 둥지 버리고 가는 날
한 팔, 두 팔.....서너 팔 벌려
가지말라 잡아봐도

홀로 죽어가는 나무 남겨두고
철새는 갈테야
아늑하고 풍성한 나무에게로,

봄

꽃이 피고지기를
반복하는 것이
당연한 것이라면

더 이상 꽃이 피지 않길바란다.
언젠간 질 꽃이라면
피지않는 것이 좋겠다.

하지만 다음에도 필 것이라
약속한다면
난 또 다시 물을 주리라

돌담

모난 돌 주워다
돌담 세우고
이쁘게 자리 잡았더만

그 위에 잡화가
규칙을 어지럽힌다.

꺾지 않고 기다리다
자리잡은 잡화마저
모난 돌 취급

기어코 찾아보게 되는
꽃말

별 것

길바닥에 나 앉은 신세가
뭐가 좋아서
저리 웃어대는지
모르겠는 꽃

그 누구 찾지도 않는데
찾아오는 달
그 옆에 별
필요하지 않는 잔잔함이
행여 깨져버릴까
걱정되어 나 홀로
조용히 살금살금

태풍

비 억세게 내리고
바람 세차게 부는데
나무는 신나서 춤추고

구름은 떼 지어
잔치를 여네

태풍 지나가고
게 눈 감추듯
나무는 다시 멈추네

커튼콜

화려한 적막 뒤에
곧이어 들어오는
적적함이

끝나버린 커튼 뒤에
남겨진 소품들이
막은 오늘도 내리고

내일은 다시 올라간다.
너는 내일도
오늘의 아리아를 부른다.

작가의 말

사실 시집을 준비하면서 가장 힘들었던 건 시집에 들어있는 시를 쓰는 것이 가장 힘들다고 생각하시겠지만 그건 힘들지 않습니다. 다만, 시를 쓰면서 그 감정에 휩싸여지는 것이 가장 두렵고 힘들었습니다.

저는 주로 사랑, 즐거움, 행복에 대한 시보다는 부정적인 감정 외로움, 이별, 고독함에 주로 감정을 느끼고 시를 씁니다. 가로등, 달, 별, 밤 같은 것 따위에 위안을 받고 사랑을 느끼고 위로를 받으며 시를 써 내려갑니다.

시를 쓰게 된 계기는 많은 이유가 있지만, 꾸준히 쓰게 된 이유는 한 날 가로등을 보았는데 그 가로등이 너무 외로워 보여서 외로운 것들에 대한 시를 쓰고 싶었고 그것이 제 시의 주된 목표가 된 것 같습니다.

누구나 사람은 감정을 느끼면서 아파합니다. 하지만 우리가 그 시간이 아프다고만 해서 좌절하고 시간을 낭비하는 것이 부끄러운 것 같습니다. 현대인은 크고 작은 아픔 속에서 살아갑니다. 그 아픔을 겪지 않기 위해 행복하다고 착각하거나 도피하는 것이죠 '아픔'이라는 감정을 부디 외면하지 말아 주세요. 당신이 아픔을 느끼는 것조차도 당신이 살아가는 이유일 때가 있으니까요. 죽은 사람을 애도하고 떠나간 사랑을 그리워하는 시간이 아픈 시간이 아니라 내 아픈 청춘에게 예의 있는 감정이라고 생각해주세요.

한 해를 마무리 지으면서 계속 생각해왔던 '과연 이렇게 사는 것이 행복한 걸까?'를 다시 생각해봤습니다. 그에 대한 대답은 저런 질문을 나에게 던지고 있는 거 자체가 행복하던 것이었어요. 행복하려고 무엇을 하는 나 자신이 자랑스러웠습니다.

항상 좋은 사람이 되려 노력하고 선행을 누구에게나 베푸는 일은 어렵습니다. 하지만 우리가 살아가면서 대체로는 모두에게 친절한 사람이기를 저는 바랍니다.

항상 바른 인생을 살려 하고 누구보다 열심히 살아온 당신에게 이 시집이 위안이 되고 휴식이 되었으면 합니다. 열심히 살아오지 않았다고 생각하더라도 앞으로의 인생이 당신의 마음에 드는 인생이 되길 바랍니다.

누군가를 사랑하진 않더라도 자기 자신을 사랑하는 사람이 되어주시고 누군가를 믿지 않더라도 자기 자신을 믿는 사람이 되어주세요. 당신을 믿는 당신을 믿습니다.

매번 행복하지 않더라도 행복하기 위해 살아가는 사람이 되길 바라면서 짧고 아쉬운 글을 여기서 마무리하겠습니다. 하고싶은 말이 많지만, 다음에 만나 이야기해야 하기에 지금은 아껴봅니다.

이만 작가의 말을 마치려 합니다. 제 시를 읽는 여러분들이 행복했던 시절과 아팠던 시절을 잊지 말고 제 시집을 읽는 동안만이라도 기억해주시길 바랍니다. 지나가는 책이나 기억이더라도 다시 한 번 돌아보거나 눈길 주어 쉬어가도 좋으니 이 시집이 여러분에게 큰 의미였으면 좋겠습니다.

- 2023년 겨울 서동인 올림